Y Frechdan Ych-a-fi

gan Gareth Edwards

Darluniau gan Hannah Shaw

Addasiad gan Elin Meek

DREF WEN

Mewn llwyn o goed ar ymyl parc,
roedd mochyn daear yn byw.
Mochyn daear llwglyd iawn oedd e,
ac roedd ei fola'n corddi'n ddi-stop.

Un diwrnod daeth bachgen bach i'r parc.
Roedd ganddo frechdan.
Roedd hi wedi'i gwneud o fara gwyn
ffres a menyn cnau mwnci.

Roedd hi'n frechdan

hardd.

Aeth y bachgen â'r frechdan i'r lle chwarae.

Roedd ar fin ei rhoi yn ei geg
pan fwriodd merch i mewn iddo a
chwympodd y frechdan i'r pwll tywod.

Nawr roedd tywod grutiog
dros y bara gwyn ffres i gyd.

"Wel," meddai'r ferch fach,
"elli di mo'i bwyta hi nawr.
Mae hi'n ych-a-fi."

Daeth gwiwer o hyd i'r frechdan.
Doedd dim ots ganddi am y tywod.

Cariodd hi'r frechdan i goeden
i'w rhannu â'i phlant.

Ond doedden nhw ddim yn rhai da
am rannu ...

... a chwympodd y frechdan o'r goeden ...

... ac i mewn i bwll dŵr.
"Wel," meddai mam y gwiwerod,
"allwn ni mo'i bwyta hi nawr.
Mae hi'n ych-a-fi."

Gwelodd broga'r frechdan.

Roedd hi'n arnofio mewn planhigion gwyrdd llysnafeddog
oedd yn drewi o wyau clwc. Doedd dim ots gan y broga am y tywod
a'r llysnafedd gwyrdd drewllyd.

Tynnodd y frechdan o'r pwll i'w bwyta hi ar y llwybr.

Ond daeth bachgen ar sgwter heibio
ar wib ac roedd rhaid iddo
neidio o'r ffordd.
Nawr roedd marciau teiars mawr du
drwy ganol y frechdan.
"Wel," meddai'r broga, "alla' i mo'i bwyta hi nawr.

Mae hi'n ych-a-fi."

Nesaf, gwelodd brân
y frechdan.

Doedd dim ots ganddi
am y tywod,
y llysnafedd
gwyrdd drewllyd a'r
marciau teiars mawr du.

Cododd y frechdan oddi ar y llwybr
a hedfan yn falch i'w nyth
i'w rhoi hi i'w mam.

Ond cafodd fraw wrth weld rhywbeth yn gwibio heibio'n sydyn. Gollyngodd y frechdan i ganol nyth morgrug, a heidiodd cannoedd o forgrug drosti.

"Wel," meddai mam y frân,
"alla' i mo'i bwyta hi nawr.
Mae hi'n ych-a-fi."

Cyn pen dim daeth llwynog o hyd i'r frechdan.

Doedd dim ots ganddo am y tywod,
y llysnafedd gwyrdd drewllyd, y
marciau teiars mawr du a'r cannoedd
o forgrug.
Aeth â'r frechdan yn anrheg i
lwynoges roedd e'n ei hoffi.

Ond pan agorodd ei geg i ddweud wrthi mor hyfryd roedd hi'n edrych, cwympodd y frechdan i bentwr o blu wrth droed y fainc.

Nawr roedd hen blu brwnt dros y frechdan i gyd.
"Wel," meddai ffrind y llwynog, "alla' i mo'i bwyta hi nawr. Mae hi'n ych-a-fi."

A dyma hi'n cicio'r frechdan
i wely blodau ...

... ac i ffwrdd â hi i
chwilota drwy'r biniau.

Ynghanol y blodau roedd gwlithod. Doedd dim ots ganddyn nhw am y tywod, y llysnafedd gwyrdd drewllyd, y marciau teiars mawr du, y cannoedd o forgrug a'r hen blu brwnt. Llithron nhw dros y frechdan i gyd a gadael llwybrau llithrig ffiaidd a swigod llwyd lleidiog drosti.

Daeth y lleuad i'r golwg.

Yn olaf, daeth y mochyn daear heibio.
Roedd yn fwy llwglyd nag erioed.

Syllodd ar y frechdan a'r tywod a'r llysnafedd gwyrdd
drewllyd a'r marciau teiars mawr du a'r cannoedd o
forgrug a'r hen blu brwnt a'r llwybrau llithrig a'r
swigod lleidiog yn disgleirio yng ngolau'r lleuad.

Corddodd ei stumog.

Corddi ...
Corddi

Felly
bwytodd e'r
gwlithod
i gyd,
bob tamaid.

Ond fwytodd e mo'r frechdan.
Roedd hi'n rhy ych-a-fi.

I Joseph, Imogen, Hester a Kit, fy mhlant, sy'n gallu gweld pan fydd mochyn daear yn un addawol – G.E.

I Ben, arwr sy'n achub gwlithod ac yn hoffi brechdanau ych-a-fi; ac Alison, Zoë a Rebecca, y tîm rhyfeddol! – H.S.

Testun © Gareth Edwards 2013
Lluniau © Hannah Shaw 2013
Y cyhoeddiad Cymraeg © 2015 Gwasg y Dref Wen Cyf.

Mae Gareth Edwards a Hannah Shaw wedi datgan eu hawl
i gael eu cydnabod fel awdur ac arlunydd y gwaith hwn
yn unol â deddf Hawlfraint, Dyluniadau a Phatentau 1988.

Cyhoeddwyd gyntaf yn Saesneg yn 2013
gan Alison Green Books,
argraffnod o Scholastic Children's Books
Euston House, 24 Eversholt Street, Llundain NW1 1DB
dan y teitl *The Disgusting Sandwich*
Cyhoeddwyd yn Gymraeg 2015 gan Wasg y Dref Wen Cyf.
28 Ffordd yr Eglwys, Yr Eglwys Newydd,
Caerdydd CF14 2EA
Ffôn 029 20617860.
Cyhoeddwyd gyda chymorth ariannol Cyngor Llyfrau Cymru.

Argraffwyd yn Malaysia.